ACCESSOIRES EN TISSU

Édition du Club France Loisirs, Paris
avec l'autorisation de Tana éditions

Éditions France-Loisirs,
123, boulevard de Grenelle, Paris
www.franceloisirs.com

Imprimé par Europrinting (Italie)
ISBN:978-2-2980-0008-5
N° éditeur : 47770
Dépôt légal : février 2007

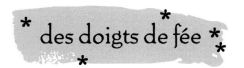

des doigts de fée

Caroline Gibert
Photos : Isabelle Schaff

ACCESSOIRES EN TISSU

ÉDITIONS FRANCE LOISIRS

4 SOMMAIRE

6 MAGIQUES TISSUS

CHOISIR

Comment choisir parmi les milliers de tissus que proposent les boutiques ? Si vous débutez ou si vous souhaitez limiter le temps passé en même temps que les risques de déception, privilégiez les tissus naturels (coton, laine, lin, etc). Les tissus de fibres synthétiques (polyester, acrylique, polyamide, etc.) sont souvent plus difficiles à travailler. N'hésitez pas à toucher, à froisser avant d'acheter afin de vous assurer de la bonne réaction de l'étoffe.
• Pour les sacs, privilégiez les tissus un peu épais et robustes (grosse toile de coton, lainages, etc.) ou un peu plus précieux pour les sacs du soir.
• Pour les bijoux et les accessoires, les métrages nécessaires étant très limités, offrez-vous de beaux tissus (soie, chintz, etc.) ! La longueur minimale d'achat en boutique est en général de 20 cm, ce qui suffit largement pour réaliser par exemple un bracelet ou une petite pochette. Ces ouvrages peuvent également vous permettre de réutiliser les chutes de vos réalisations plus volumineuses.
Mais soyez prévenues : quand on commence à acheter des tissus « au cas où », on devient vite accro et l'on remplit toute une armoire sans même s'en apercevoir...

RÉCUPÉRER

On trouve beaucoup de choses en mercerie, ces cavernes d'Ali Baba aux mille trésors. Mais les brocantes, les friperies, les vide-greniers sont d'autres paradis pour les couturières en herbe. Une vieille chemise usée et trop grande peut arborer de superbes boutons de nacre, qui feront une très jolie bague. Une jupe mal coupée deviendra un très beau cabas. N'hésitez pas non plus à aller fouiller dans les placards de maman et de grand-maman...

DOUBLER

Les magasins de vente de tissu au mètre proposent en général un rayon entièrement consacré à ces tissus soyeux, colorés, peu chers, mais très glissants et assez difficiles à travailler pour les débutantes. L'astuce consiste alors à utiliser un tissu plus résistant et plus facile à travailler, du type coton léger. On peut, du coup, jouer avec les imprimés, les couleurs et les matières : un sac à fleurs doublé d'un coton rayé, un austère sac noir doublé d'un dynamique velours rose fuchsia.

DISTINGUER L'ENVERS DE L'ENDROIT

L'envers est le plus souvent le côté le plus terne. Dans certains cas, il peut être utile de rechercher un tissu dont l'endroit et l'envers sont identiques, en particulier pour les sacs non doublés. Les tissus africains, magnifiques cotons colorés, sont souvent dans ce cas. Bon à savoir : les vendeurs de tissu plieront toujours votre coupon endroit contre endroit.

PRENDRE SES PRÉCAUTIONS

• Avant de se lancer, l'idéal est de laver le tissu au savon et à l'eau tiède, ce qui permettra de le « décatir » (éliminer la fine couche d'amidon) et d'observer les réactions de l'étoffe : si elle doit rétrécir, ce sera fait ! Et vous éviterez les mauvaises surprises après le premier lavage de votre magnifique cabas de plage, soudain transformé en porte-monnaie...

• Ayez toujours un fer à repasser à portée de main pendant toute la durée de votre séance de couture. Sa chaleur permet de « sculpter » le tissu, de le dompter.
• N'hésitez pas à surfiler les pièces de tissu, y compris les bords que ne laissera pas voir le résultat final. Cela facilite la manipulation pendant le travail.

COUDRE À LA MACHINE

Merveilleux outil que cette machine à coudre qui vous permettra de réaliser vos rêves. Inutile de la choisir trop compliquée : la plus simple fera parfaitement l'affaire, tant que vous n'ambitionnez pas de vous faire un manteau pour l'hiver prochain… Mais sachez aussi que de nombreuses créations peuvent être réalisées sans elle (bagues, boucles d'oreilles, etc.).

8 VOS OUTILS

LES INCONTOURNABLES

La liste de matériel des ouvrages proposés dans ce livre ne les mentionne pas, tout simplement parce qu'il faut les avoir sous la main à tout moment ! Ajoutez à la liste qui suit un fer à repasser, une craie de couturière et un mètre à ruban, et vous serez en mesure de parer à toute éventualité.

• Les ciseaux

Outil essentiel : les ciseaux de couturière ! N'hésitez pas à les choisir de bonne qualité, même s'ils sont un peu plus chers que leurs voisins, car vous les conserverez tout au long de votre vie de couturière, à condition cependant d'en prendre soin… Tout d'abord en limitant leur utilisation à la coupe de tissu et de fils : ne les utilisez jamais pour couper du papier. Il vous faut réserver une autre paire de ciseaux à ce dernier usage (patrons, formes à pompon…).
Une paire de ciseaux à broder sera également précieuse. Tout petits et très précis, ils permettent de couper les fils de couture au plus près du tissu.

• Les épingles

Autres outils absolument indispensables ! Choisissez-les longues, avec tête de couleur. Épinglez toujours perpendiculairement au trait de couture pour pouvoir coudre à la machine sans avoir à les retirer au fur et à mesure. N'hésitez pas à en abuser et placez-en une tous les 3 cm sur les tissus les plus fluides. Investissez éventuellement dans un petit aimant pour les ramasser sans vous énerver en cas de chute de la boîte…
Les épingles de nourrice sont utiles pour passer rubans et élastiques dans les bandes passantes. Elles peuvent aussi remplacer les épingles de broche, que vous trouverez en mercerie.

LES PLUS

Gain de temps ou simple confort appréciable, ces petits accessoires vous deviendront vite indispensables !

• Le découd-vite

Simplifiez-vous la vie : offrez-vous un découd-vite ! Ce petit outil tout simple ne vous ruinera pas et vous évitera bien des heures passées à découdre point par point une couture malheureuse faite à la machine en quelques secondes… Finis les petits trous dans le tissu, voire les déchirures.

• La colle textile

Elle vous fera gagner du temps, remplaçant souvent avantageusement la machine à coudre quand celle-ci ne peut plus rien pour vous : support trop fragile, verso inaccessible, etc. Pour fixer un ruban, une épingle de broche, rien de plus simple que la colle textile ! Quelques recommandations cependant : suivez bien le mode d'emploi de la colle que vous avez choisie, car certaines, selon les marques, demandent un temps de séchage entre la pose de la colle et l'application des tissus. Et ne prenez pas le risque de ranger le tube avec vos précieux coupons…

LES ORNEMENTS

• Les boutons

Au-delà de leur fonction première, qui est, ne l'oublions pas, de lier deux pièces de tissu, les boutons sont de précieux éléments de décoration. Même de banals petits boutons de plastique colorés peuvent faire merveille : il suffit de jouer avec eux, en les superposant ou en les alignant… Boutons et tissu s'entendent particulièrement bien !

• **Rubans et dentelles**

Les rubans : du tissu à eux tout seuls ! Ils ajoutent à vos créations une touche de couleur, de brillance… Bracelets, colliers, voire bandeaux ou ceinture, ils peuvent tout faire, comme des bandes de tissu qui ne vous demanderaient même pas d'ourlet.

Les dentelles : vous les trouverez au mètre en mercerie ou dans les boutiques de tissu. L'idéal reste d'en récupérer sur du linge ancien déniché en brocante : votre dentelle sera plus authentique puisque souvent faite à la main.

• **Les paillettes**

En vrac ou montées en galon, les paillettes jouent le rôle d'un cachet de vitamine C : elles réveillent vos vêtements les plus fatigués ! De toutes les couleurs et de toutes les tailles, elles peuvent être associées à de petites perles de rocaille qui les fixeront tout en leur donnant du relief. Vous pouvez aussi les coudre avec un petit point de croix très simple, ton sur ton pour la discrétion, ou avec un fil de couleur contrasté pour décorer. Les strass, à coudre ou à coller, sont également très efficaces pour redonner du lustre !

• **Les perles**

Il suffit de pénétrer dans une boutique de perles pour comprendre que ces petits objets sont capables de tout ! Tous les styles, tous les prix, toutes les matières, toutes les tailles, toutes les formes… Précieuses (en verre, par exemple), elles feront du plus banal des tissus un véritable bijou. Plus modestes (en bois), elles donneront immédiatement un petit côté hippie à votre look. Les plus utilisées sur les étoffes restent les perles de rocaille (petites perles rondes) et les tubes.

10 QUELQUES POINTS DE BRODERIE

Point de tige

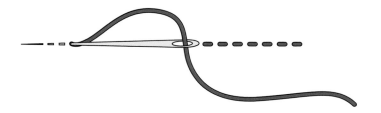

Point devant

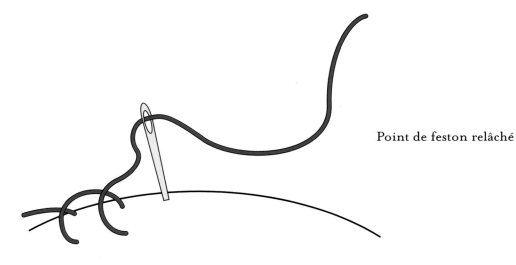

Point de feston relâché

Point de passé plat

Point de nœud

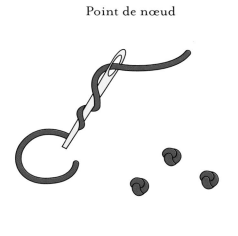

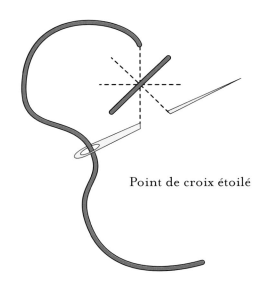

Point de croix étoilé

	*	**	***
DIFFICULTÉ	facile	moyen	difficile
TEMPS	moins de 1 heure	entre 1 heure et 3 heures	plus de 3 heures

AVEC UNE MACHINE À COUDRE   SANS MACHINE À COUDRE

12 BROCHE PAILLETÉE

Une grosse broche turquoise, fraîche et estivale, qui réveillera n'importe quel tee-shirt mollasson.

MATÉRIEL

Paillettes turquoise
Sequins rose vif
Perles de rocaille rose vif et vertes
Coton turquoise uni (40 x 10 cm)
Coton turquoise à rayures (40 x 16 cm)
Fil à coudre turquoise
1 épingle de broche (ou 1 épingle de nourrice)

RÉALISATION

1. Réserver 5 sequins roses, 11 paillettes turquoise, 5 perles vertes, 11 perles roses.

2. Fixer les paillettes et les sequins restants sur une moitié de la bande de coton uni, les perles vertes fixant les sequins roses, les perles roses fixant les paillettes turquoise.

3. Plier les 2 bandes de tissu en deux dans le sens de la longueur. Sur les 2 bandes, passer un fil de fronce sur les trois côtés coupés en prenant les deux épaisseurs et tirer sur le fil.

4. Fermer les fleurs ainsi formées en superposant les deux extrémités avec quelques points à la main. Placer la fleur unie au cœur de la fleur à rayures.

5. Former le cœur de la fleur : fixer au centre les sequins roses avec les perles vertes et les entourer de paillettes turquoise fixées avec les perles roses en piquant les deux tissus.

6. Fixer l'épingle de nourrice au dos de cette fleur.

14 MILLE-FEUILLE DE DENTELLE

Ne jetez jamais les chutes de dentelles ! Ces trésors peuvent toujours servir, notamment à réaliser cette jolie bague aux épaisseurs variables et multipliables à l'envi, selon les couleurs et les matières du moment.

MATÉRIEL

Feutrine noire (chutes)
Dentelle blanche (chutes)
Dentelle rose chair (chutes)
Jersey de coton rose chair (chutes)
1 bouton de bottine noir
Perles de rocaille dorées
Fil à coudre noir

RÉALISATION

1. Dans la feutrine noire, couper 1 bande de 8 x 1 cm. La fermer pour former l'anneau de la bague avec quelques points à la main, en superposant les deux extrémités sur 1 cm environ, selon la taille de votre doigt.

2. Découper un motif de chacune des dentelles, d'environ 4,5 cm de côté. Découper dans la feutrine noire et dans le jersey de coton 2 carrés de 4 cm de côté.

3. Superposer ces découpes : d'abord le carré noir, puis le carré rose chair, puis le motif de dentelle blanche, enfin le second motif de dentelle rose chair. Les fixer sur l'anneau, au niveau de la couture, en cousant le bouton de bottine au centre. Prendre soin de lui laisser de la souplesse. Dissimuler la base du fil noir avec les perles de rocaille dorées.

16 BROCHE DE VELOURS

Une broche de velours toute douce, parfaite sur les pulls à col roulé et les manteaux d'hiver.

MATÉRIEL

Velours côtelé vert foncé (10 x 10 cm environ)
Velours milleraies vert plus clair (10 x 10 cm environ)
Perles de rocailles transparentes mauves
Perles rondes transparentes mauves
Perles de rocaille opaques bleu pâle
Perles tubes bleu turquoise
Fil à coudre bleu pâle
1 épingle de broche (ou 1 épingle de nourrice)

RÉALISATION

1. Photocopier le patron de la p. 58 en deux tailles différentes. Découper le grand motif dans le velours côtelé, le petit motif dans le velours milleraies.

2. Les surfiler à la machine. On peut également réaliser cette opération à la main.

3. Placer le plus petit des 2 motifs au centre du plus grand. En piquant les deux épaisseurs de tissu, coudre les perles de rocaille mauves et les perles rondes mauves au centre pour créer le cœur de la fleur. Ajouter au sommet 1 perle de rocaille bleu pâle.

4. En partant de cette accumulation, fixer perles et tubes sur les 2 pièces de tissu à la fois, en formant une fleur. À l'extrémité de chaque pétale, placer 1 perle de rocaille mauve. Parsemer les pétales de quelques perles de rocaille bleu pâle.

5. Fixer l'épingle de broche au verso.

18 BRACELET DE RUBAN

Prenez quelques jolis rubans, ajoutez des perles assorties, de petits points de croix étoilés, et vous obtenez ce petit bracelet, insolite et coloré.

MATÉRIEL

Ruban de velours rose foncé en 0,7 cm de large (18 cm)
Ruban de gros-grain marron de 4 cm de large (18 cm)
Perles de rocaille opaques mauves
Perles de rocaille opaques marron
Fil à broder mouliné violet
Fil à coudre rose foncé
Fil à coudre marron
Velcro (1 pastille noire autocollante)

RÉALISATION

1. Placer le ruban rose au centre du ruban marron. Le fixer en cousant 1 perle mauve et 1 perle marron à intervalles réguliers.

2. Au centre, faire une grappe de perles : enfiler des perles mauves et des perles marron en les alternant de façon irrégulière. Encercler la dernière perle et repasser l'aiguille et le fil dans les autres. Répéter cette opération une dizaine de fois, en variant le nombre de perles (entre 10 et 15 perles).

3. Autour de chaque paire de perles et autour de la grappe, faire 1 point de croix étoilé (voir p. 11) au fil à broder mouliné violet (1 brin).

4. Surfiler à la main les extrémités des rubans avec le fil assorti.

5. Coller les deux parties de la pastille de Velcro selon la taille de votre poignet.

20 DOUBLE RAS-DE-COU

Rien de plus simple à faire que ce collier tout frais, cadeau idéal pour toutes les petites filles (mais les plus grandes ne diront sans doute pas non).

MATÉRIEL

Ruban de velours vert de 1,5 cm de large (70 cm)
Paillettes et étoiles à coudre de couleurs vives
Perles de rocaille transparentes assorties
Ruban de satin rose pâle de 0,5 cm de large (55 cm)
Fil à coudre assorti

RÉALISATION

1. Faire deux tours de ruban de velours autour de votre cou, en partant de la nuque. Faire une marque à la craie dans l'alignement du menton.

2. Fixer les étoiles et les paillettes à l'aide des perles, en les répartissant joliment autour des repères.

3. Faire un petit ourlet à la main aux deux extrémités.

4. Couper le ruban de satin en deux. Fixer chaque moitié à l'une des extrémités du ruban de velours, sur l'envers, en masquant les points apparaissant sur l'endroit avec 1 étoile et 1 perle. Couper les extrémités en biais.

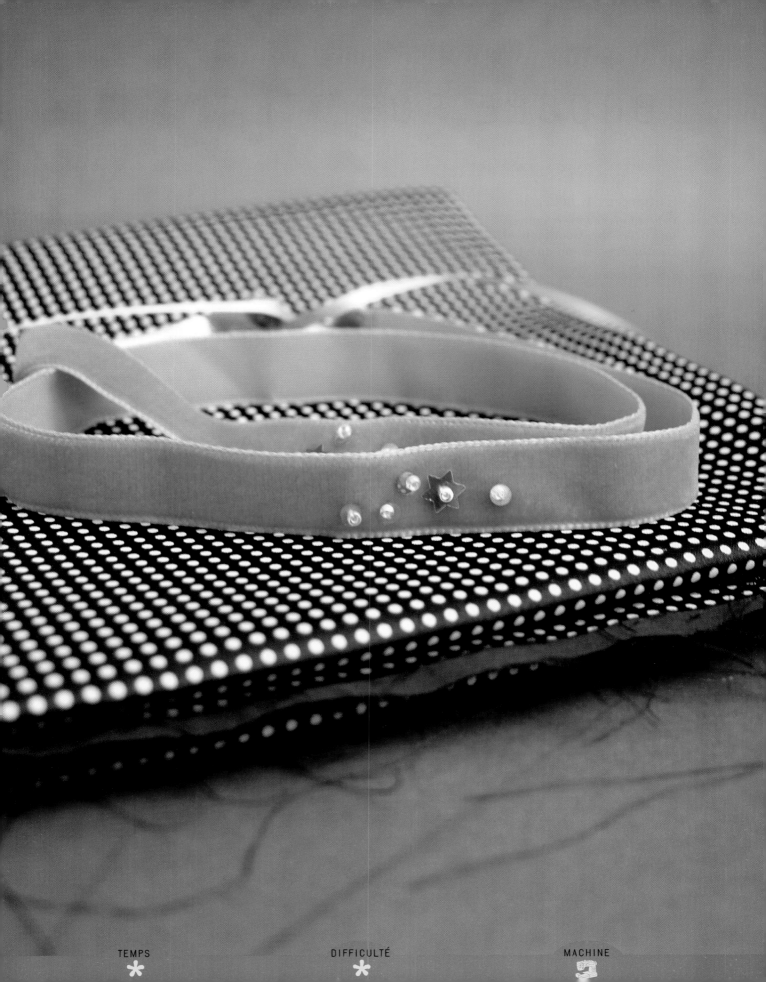

22 BROCHE ROSETTE

N'attendez pas la Légion d'honneur, décorez-vous de l'ordre des Courageuses Couturières, en un quart d'heure !

MATÉRIEL

Ruban de gros-grain vert anis en 4 cm de large (40 cm)
1 gros bouton orange
Fil à broder mouliné orange
Fil à broder mouliné turquoise
Fil à coudre vert anis
1 épingle à broche (ou 1 épingle de nourrice)

RÉALISATION

1. Fermer le ruban à la main. Passer un fil de fronce régulier sur une de ses longueurs et serrer de manière à créer une cocarde. Faire un nœud.

2. Faire des points de nœud (voir p. 11) avec les fils à broder orange et turquoise (6 fils).

3. Coudre le bouton au cœur de la fleur avec le fil à coudre vert.

4. Fixer l'épingle à broche de quelques points au dos de la broche.

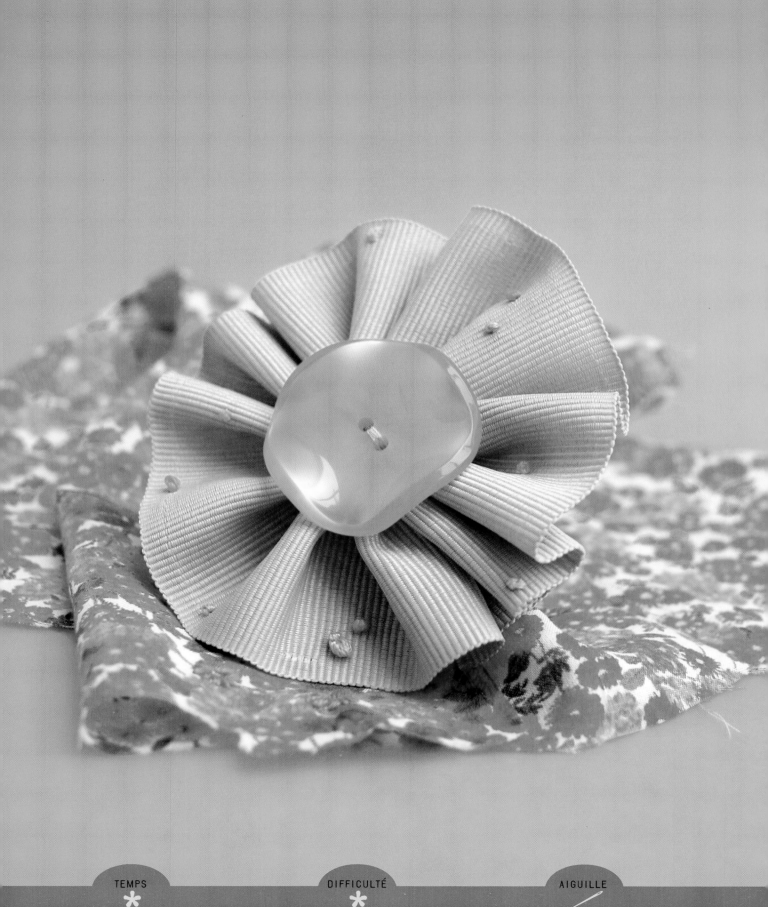

24 BAGUES

L'association tissu plus bouton donne naissance à de chouettes bagues, variables à l'infini selon les trésors que recèlera votre boîte à couture.

MATÉRIEL BAGUE GRISE

Feutrine rose (2 x 2 cm)
Flanelle grise (8 x 2 cm)
1 bouton à strass
Colle textile
Fil à coudre

RÉALISATION

1. Coudre le bouton sur le carré de feutrine rose.

2. Coller ce carré rose sur la bande de flanelle grise.

3. Fermer la bague avec un point de colle textile, à la taille de votre doigt.

MATÉRIEL BAGUE CHOCOLAT

Ruban de satin chocolat de 1 cm de large (10 cm)
Feutre de laine vert olive (8 x 2 cm)
1 gros bouton plat marron
Perles de rocaille marron
1 perle ronde vert olive
Colle textile

RÉALISATION

1. Coller le ruban de satin au centre de la bande de feutre de laine, en le centrant dans la hauteur. À chaque extrémité, encoller et replier l'excédent de ruban sur l'envers.

2. Coudre le gros bouton sur la bande.

3. Sur le bouton, enfiler 5 perles de rocaille puis passer la perle verte. Enfiler 5 autres perles de rocaille et repasser le fil dans le bouton.

4. Fermer la bague avec un point de colle textile, à la taille de votre doigt.

MATÉRIEL BAGUE ROSE

Feutrine rose vif (8 x 2 cm)
1 gros bouton vert pâle
1 bouton moyen bleu
1 petite perle mauve
2 petits boutons verts
Fil à coudre assorti

RÉALISATION

1. Coudre les boutons sur la bande de feutrine. Au milieu, superposer le gros bouton et le moyen en terminant par la perle. Placer les 2 petits sur les côtés.

2. Fermer la bague avec quelques points à la main, à la taille de votre doigt.

26 BOUCLES D'OREILLES

Des boucles de star de la pop à porter avec un débardeur fluo... Parce que les brunes ne comptent toujours pas pour des prunes.

MATÉRIEL

Dentelle rose (chutes)
Tulle blanc fin (chutes)
Tissu noir à pois roses (chutes)
2 bijoux verts à coudre
2 attaches de boucle d'oreille de type dormeuse
Fil à coudre rose

RÉALISATION

1. Photocopier le patron de la p. 58 à 100 %. Le reproduire deux fois sur la dentelle, deux fois sur le tulle et quatre fois sur le tissu à pois.

2. Superposer les losanges dans l'ordre suivant : dentelle rose, mousseline blanche, 2 losanges de tissu à pois envers contre envers. Répéter l'opération pour l'autre boucle d'oreille.

3. Coudre 1 bijou sur l'endroit de la boucle, au niveau le plus étroit du losange. Fixer l'attache de l'autre côté de la boucle. Répéter l'opération pour l'autre boucle d'oreille.

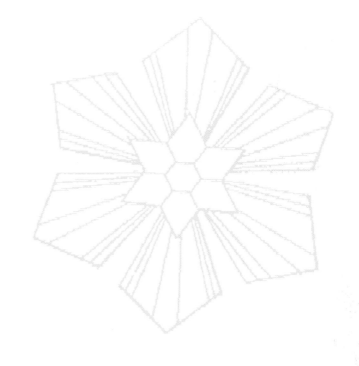

28 BROCHE HOUPPETTE

Réhabilitons la houppette !
La version broche de cet
accessoire de beauté,
hautement féminin mais plus
vraiment utilisé, peut être
réalisée à partir d'une mantille
noire dénichée en brocante.

MATÉRIEL

Dentelle noire (15 x 15 cm environ)
1 bouton noir
12 plumes de marabout rose pâle
Feutrine rose vif (4 x 2 cm environ)
Fil à coudre noir
1 épingle de broche (ou 1 épingle de nourrice)
Colle textile

RÉALISATION

1. Découper I disque d'environ
13 cm de diamètre (l'équivalent
d'un petit bol posé à l'envers).
Passer un fil de fronce noir à 5 cm
du bord, de façon à tracer I cercle
à l'intérieur du disque. Tirer pour
froncer puis nouer le fil. Couper
l'excédent de tissu et fermer à la
main avec du fil noir.

2. Coudre le bouton au centre de
ce cercle froncé.

3. Assembler ensuite les plumes :
les coller l'une par-dessus l'autre,
en les croisant au niveau de leur
premier tiers. Les disposer en
quinconce pour créer le plus de
volume possible. Utiliser très peu
de colle !

4. Coller le disque de dentelle
froncé et son bouton au centre des
plumes.

5. Coudre l'épingle à broche sur
le rectangle de feutrine. Coller le
rectangle sur l'envers de la broche.

Bracelet de tissu brodé ou poignet à boutons de manchette ? Ludique illusion qui fera merveille avec un tee-shirt à manches longues.

MATÉRIEL

Coton à fleurs rouge et vert (27 x 18 cm)
Croquet rouge en 1 cm de large (27 cm)
Toile thermocollante (25 x 16 cm)
2 boutons assortis
Fil à broder mouliné rouge
Fil à broder mouliné mauve
Fil à broder mouliné orange
Fil à coudre rouge

RÉALISATION

1. Marquer une bande de 8 cm de large dans la partie centrale de la bande de coton.

2. Coudre le croquet à la main, à 1 cm du bord de cette zone, à petits points discrets. Rebroder certaines fleurs de cette zone : les pétales au point de passé plat (voir p. 11) avec les fils rouge ou mauve (6 fils) et les cœurs au point de nœud (voir p. 11) avec le fil orange (6 fils).

3. Fixer le morceau de toile thermocollante au dos de la zone brodée.

4. Coudre la bande endroit sur endroit, à 1 cm du bord, sur les 2 longueurs mais sur 1 seule largeur. Retourner et repasser en centrant la couture.

5. Faire la boutonnière à la machine à environ 3,5 cm d'une largeur, selon votre tour de poignet.

6. Coudre 1 bouton à la même distance de l'autre largeur, sur l'endroit du bracelet. Coudre l'autre bouton sur l'envers, exactement au même endroit.

7. Fermer la dernière largeur à petits points discrets, à la main.

32 SAC À MAIN D'HIVER

Dans la grisaille de l'hiver, ce sac pratique et fonctionnel illuminera vos journées, avec une anse large, pour le confort, et une poche intérieure, pour retrouver ses clefs.

MATÉRIEL

Velours milleraies à motifs verts (45 x 34 cm + 50 x 17 cm)
Doublure assortie (45 x 34 cm + 15 x 12 cm)
Velcro en bande de 3 cm de large (10 cm)
Dentelle rose chair de 5 cm de large (130 cm)
Ruban de satin marron en 1 cm de large (60 cm)
Ruban de satin vert olive en 1 cm de large (1 m)
1 perle
Fil à coudre vert
Fil à coudre rose chair
Carton rigide (25 x 8 cm)

RÉALISATION DU SAC

1. Surfiler toutes les pièces de tissu.

2. Épingler les deux rectangles de velours endroit contre endroit et piquer à 1 cm du bord en laissant une largeur ouverte.

3. Pour créer le soufflet, toujours sur l'envers, superposer la couture latérale à la couture du bas dans chaque angle cousu. Épingler. Marquer un repère à 5 cm de l'angle de chaque côté, tracer une ligne entre ces points. Piquer sur cette ligne et couper l'excédent à 1cm de la couture. Surfiler ce nouveau bord franc. Répéter l'opération de l'autre côté. Retourner le sac et repasser en faisant des angles bien plats.

4. Couper la bande de Velcro en deux. À la machine, coudre les quatre moitiés de Velcro sur la doublure à 5 cm du bord.

5. Sur le plus petit morceau de doublure, épingler un ourlet et le marquer au fer chaud. Le piquer seulement sur la longueur, qui sera l'ouverture de la poche.

6. Épingler la poche sur l'une des faces de la doublure, sous le Velcro. Piquer sur trois côtés.

7. Épingler les deux rectangles de doublure endroit contre endroit et piquer à 1 cm du bord en laissant ouverte la largeur avec Velcro. Créer le soufflet avec la même méthode (étape 3).

8. Plier la bande de velours en deux dans le sens de la longueur. Épingler puis piquer à 1 cm du bord. Retourner puis repasser au fer chaud en centrant la couture. Épingler cette anse en la centrant sur les coutures latérales du sac.

9. Glisser la doublure dans le sac. Épingler sac et doublure le long de l'ouverture en ménageant pour chacun un rentré de 1 cm. Piquer près du bord.

10. Coudre la dentelle en haut et en bas, à la main et à petits points invisibles.

RÉALISATION DE LA FLEUR

11. Former des boucles, petites et nombreuses, en mêlant les rubans de satin vert et marron. Laisser pendre deux morceaux de 25 cm de ruban marron et couper leur extrémité en biais.

12. Fixer les boucles au fur et à mesure avec des épingles, puis à la main en plaçant une perle au centre de la fleur.

13. Fixer la fleur à la main à la naissance de l'anse.

34 AUMÔNIÈRE

Un joli nœud sur le poignet, voilà le secret de l'aumônière. Choisissez donc avec soin le ruban qui terminera ce petit sac plutôt habillé.

MATÉRIEL

Lin fleuri orangé (40 x 33 cm)
Doublure prune (35 x 33 cm)
Ruban de gros-grain rouille (1 m)
Fil à coudre bordeaux
1 épingle de nourrice

RÉALISATION

1. À la craie de couturière, marquer les courbes du côté inférieur des 4 rectangles de tissu à l'aide d'un moule à tarte posé à l'envers. Couper et surfiler.

2. Épingler puis coudre les 2 rectangles de lin endroit contre endroit à 1 cm des bords. Sur l'un des deux côtés, arrêter la couture à 7 cm du bord. Retourner et repasser. Renouveler l'opération avec les rectangles de doublure, sans retourner le sac obtenu.

3. Glisser la doublure dans le sac de lin. Épingler puis piquer un ourlet de 1 cm sur la portion de la couture latérale laissée libre.

4. Terminer le haut du sac : plier le lin sur lui-même sur 1 cm puis sur 3 cm, pour former le passant. Piquer sur le pli.

5. Faire de petits ourlets à la main aux extrémités du ruban. Glisser le ruban dans la bande passante à l'aide de l'épingle de nourrice.

36 POCHETTE PLATE

Une petite besace carrée, toute plate, pile à la taille d'un agenda !

MATÉRIEL

Toile de coton robuste à rayures vertes et grises (90 x 31 cm)
Doublure gris-bleu (90 x 31 cm, 16 x 12 cm pour la poche intérieure)
2 morceaux de Velcro noir de 20 cm de long
Ruban de gros-grain bleu canard de 1,5 cm de large (30 cm)
Dentelle rose chair de 3 cm de large (30 cm)
Ruban de paillettes cousues bleu canard (60 cm)
2 boutons de couleurs assorties et de tailles différentes
Sangle de coton (135 cm)
Fil à coudre assorti à la toile
Fil à coudre assorti à la dentelle

RÉALISATION

1. Surfiler toutes les pièces de tissu.

2. Marquer sur les longues bandes de toile et de doublure les repères des plis : à 30 cm de la largeur supérieure (pli du rabat), puis à 60 cm (pli du fond du sac).

3. Faire un ourlet de 1 cm sur une longueur de la poche. Marquer les ourlets sur les trois autres côtés au fer. L'épingler sur la partie centrale de la doublure et piquer sur trois côtés.

4. Épingler la partie accrochante de la bande Velcro sur la partie supérieure de la doublure. Piquer à la machine.

5. Épingler l'autre partie (douce) de la bande Velcro sur la partie inférieure de la toile de coton, en prenant soin de bien la placer en regard de la bande cousue sur la doublure. Piquer à la machine.

6. Placer le ruban de gros-grain sur la partie supérieure de la toile (devant du sac). Le fixer à la main en faisant de petits points discrets sur les bords. Positionner ensuite perpendiculairement la dentelle rose. La fixer à la main à petits points. Fixer les rubans de paillettes le long de cette dentelle. Terminer par les boutons. Les superposer en plaçant le plus large sous le plus petit.

7. Épingler la bandoulière en la plaçant sur la partie centrale de la toile (verso du sac). Positionner les extrémités dans les angles supérieurs en les repliant sur elles-mêmes sur une longueur de 8 cm. Piquer à la machine en passant sur le ruban de gros-grain.

8. Coudre ensemble les deux parties inférieures de la toile, endroit contre endroit, à 1 cm du bord, en s'arrêtant à 1 cm du bord supérieur.

9. Coudre ensemble les deux parties inférieures de la doublure, envers contre envers, à 1 cm du bord, en s'arrêtant à 1 cm du bord supérieur.

10. Coudre la partie supérieure de la doublure et de la toile endroit contre endroit, à 1 cm du bord. Retourner ce rabat et épingler les deux bords restants en ménageant un repli de 1 cm. Coudre à la main à petits points discrets.

PETIT SAC DU SOIR

À petit sac, grands effets !
Avec des chutes de doublure
qui s'effilocheront joliment et
quelques points de broderie
très simples, un sac parfait
pour les soirées d'été.

MATÉRIEL

*Coton vert (2 carrés de 22 x
22 cm)*
*Coton rose uni (2 carrés de 22 x
22 cm)*
Doublure rose fuchsia (chutes)
*Ruban de gros-grain turquoise de
2 cm de large (60 cm)*
*13 strass à coudre (roses, verts,
orangés)*
Fil à coudre rose
Coton perlé rose
Coton perlé turquoise

RÉALISATION

1. Surfiler toutes les pièces de
tissu, sauf les chutes de doublure.

2. Photocopier le patron des
pétales et des ailes du papillon à
100 % (p. 60). Découper
16 pétales et 2 ailes de papillon
dans les chutes de doublure rose.
Border 8 pétales de points de feston (voir p. 10) de fil turquoise ou
rose.

3. Sur celui des carrés de tissu vert
qui sera le devant du sac, créer
une fleur avec 8 pétales dont
4 brodés : les fixer avec des points
de passé plat (voir p. 11) et 3 strass,

qui formeront le cœur de la fleur.
Pour créer du volume, soulever
légèrement le pétale et coudre
1 strass à la pointe.

4. Border les ailes du papillon
d'un point devant (voir p. 10) avec
le fil turquoise. Épingler les deux
ailes ensemble et former le corps à
l'aide d'un trait de point de passé
plat. Broder de courtes antennes
au point de tige (voir p. 10).
Coudre 1 strass pour figurer l'œil.

5. Coudre les carrés de tissu vert
endroit contre endroit à 1 cm du
bord. Retourner. Coudre les carrés de tissu rose endroit contre
endroit à 1 cm du bord. Glisser le
sac rose dans le sac vert.

6. Couper le ruban turquoise en
deux. Épingler ces deux anses en
les glissant entre les sacs. Épingler
ensemble le sac et sa doublure en
ménageant pour chacun un rentré
de 1 cm. Coudre à la main à petits
points discrets.

40 CABAS D'ÉTÉ

Ce grand cabas aux proportions généreuses saura parfaitement protéger les trésors rapportés de la plage ou du marché.

MATÉRIEL

Tissu d'ameublement vert à gros motifs (55 x 40 cm)
Doublure orange (55 x 40 cm)
Sangle de coton orange de 5 cm de large (80 cm)
Fil à coudre orange
Tuyau de plastique souple en 1 cm de diamètre, au rayon bricolage (80 cm)
Cutter

RÉALISATION

1. À la craie de couturière, marquer les courbes du côté inférieur des 4 rectangles de tissu à l'aide d'un petit bol posé à l'envers. Couper puis surfiler les quatre côtés.

2. Épingler les 2 rectangles de tissu sur trois côtés, endroit contre endroit, puis coudre à 1 cm des bords. Sur les deux coutures latérales, arrêter la couture à 25 cm du bord. Renouveler l'opération avec les rectangles de doublure, endroit contre endroit.

3. Retourner les deux sacs et glisser le sac de tissu dans la doublure. Épingler les 4 petits côtés endroit sur endroit et coudre à la machine. Retourner et repasser.

4. Couper la sangle de coton en deux. Plier chaque morceau en deux dans le sens de la longueur et piquer tout près du bord. Couper le tuyau transparent avec le cutter et glisser un morceau dans chaque anse orange.

5. Terminer le haut du sac : plier le tissu et la doublure et ajouter un petit ourlet. Épingler puis piquer près du bord. Répéter cette opération de l'autre côté.

6. Glisser les anses dans les bandes passantes ainsi formées et relier leurs extrémités en les cousant à la main.

42 CABAS ET SA FLEUR

En deux temps trois mouvements, un joli cabas tout simple, aux dimensions parfaites pour transporter des dossiers de travail.

MATÉRIEL

Coton vert foncé (35 x 43 cm et 70 x 10 cm)
Coton fleuri orangé (77 x 12 cm environ)
Doublure orange (50 x 10 cm environ)
Toile jaune (42 x 6 cm environ)
Perles de rocaille opaques jaunes, rouges et orange
Fil à coudre vert foncé
Fil à coudre jaune

RÉALISATION DU SAC

1. Surfiler chaque pièce de toile vert foncé.

2. Épingler puis piquer un ourlet de 3 cm sur l'une des largeurs de chaque grand rectangle.

3. Épingler les 2 grands rectangles endroit contre endroit et tracer les coutures à 1 cm des bords à la craie de couturière sur les bords sans ourlet. Marquer les courbes des angles inférieurs à l'aide d'un bol posé à l'envers, toujours à 1 cm du bord. Recouper le long des courbes à 1 cm du tracé. Surfiler. Piquer à la machine en suivant le tracé. Retourner et repasser.

4. Plier les 2 bandes de tissu vert en deux dans le sens de la longueur. Épingler puis piquer à 1 cm du bord.

5. Retourner puis repasser au fer chaud en centrant la couture. Avec un simple point avant, créer à la machine des courbes décoratives sur ces anses, au fil à coudre jaune.

6. Épingler les anses sur le sac, puis les fixer à la machine avec quelques points avant serrés.

7. Coudre ensemble les deux bords des anses sur une zone de 20 cm centrée, à la main et à petits points. Retourner le sac.

RÉALISATION DE LA FLEUR

8. Photocopier le patron des pétales (p. 59) en 3 tailles différentes (environ 12 x 12 cm, 10 x 10 cm et 6 x 6 cm).

9. Découper 6 grands pétales dans le coton fleuri, 5 moyens dans la doublure orange, 3 petits dans la toile jaune.

10. Fixer un par un les grands pétales sur le sac en glissant 1 perle à chaque point. Renouveler l'opération avec les autres pétales.

11. Découper 1 disque de 6 cm de diamètre dans la toile jaune. Le surfiler. Fixer quelques perles en son centre puis passer un fil de fronce tout près du bord et froncer.

12. Coudre cette petite boule de tissu au cœur de la fleur.

SAC À DOS

Ce sac à dos doublé est d'une taille idéale pour un doudou et 3 biscuits. À offrir au retour des vacances, pour se sentir moins seul le premier jour d'école.

MATÉRIEL

Coton fleuri bleu (2 rectangles de 37 x 27 cm)
Coton vichy rose à petits carreaux (2 rectangles de 37 x 27 cm, 1 bande de 10 x 30 cm)
Croquet rose de 0,8 cm de large (28 cm)
Cordelette de coton bleu (240 cm)
Fil à coudre rose

RÉALISATION

1. Surfiler les 4 rectangles de tissu.

2. Tracer puis découper les lettres du prénom de l'enfant dans la bande de vichy rose. Repasser.

3. Sur l'un des 2 rectangles de coton fleuri, qui deviendra le devant du sac, fixer le croquet à 10 cm du bord, à la main.

4. Épingler soigneusement les lettres à environ 1 cm au-dessus du croquet, bien à plat. Les fixer à la machine avec un point zigzag pas trop large.

5. Couper 2 rectangles de 5 x 7 cm dans la bande de vichy rose. Les plier dans le sens de la longueur, endroit contre endroit, épingler puis piquer le long du bord coupé. Retourner et repasser en centrant la couture.

6. Épingler les 2 rectangles de coton fleuri endroit contre endroit, en plaçant les pattes de vichy rose repliées dans les deux angles inférieurs, sur l'endroit. Piquer à 1 cm du bord sur 3 côtés, en s'arrêtant à 9 cm du bord supérieur, laissé ouvert. Retourner, repasser. Piquer un petit ourlet sur les zones laissées libres pour l'ouverture.

7. Épingler endroit contre endroit les 2 rectangles de la doublure de vichy rose. Piquer à 1 cm du bord, sur trois côtés, en s'arrêtant à 9 cm du bord supérieur, laissé ouvert. Repasser sans retourner. Piquer un petit ourlet sur les zones laissées libres pour l'ouverture.

8. Placer la doublure dans le sac. Épingler un petit rentré de 1 cm puis un revers de 4 cm. Coudre tout près du bord.

9. Couper la cordelette en deux. Glisser une moitié dans une des bandes passantes ainsi formées, puis dans la patte du bas du sac, du même côté. Nouer les deux extrémités. Faire glisser le nœud dans le haut du sac, de façon à le dissimuler. Procéder de la même façon avec l'autre moitié de cordelette, de l'autre côté.

CHALEUREUSE ÉTOLE

Entre peau d'ours en peluche et fourrure de luxe, cet accessoire tout doux fera les beaux jours de vos tenues d'hiver et vous poussera à sortir les broches de grand-mère.

MATÉRIEL

Coton fleuri assorti (150 x 52 cm)
Fausse fourrure marron (150 x 52 cm)
Fil à coudre assorti

RÉALISATION

1. Épingler le coton et la fausse fourrure endroit contre endroit. Piquer à 1 cm du bord, en laissant libre une zone de 30 cm au centre d'une des longueurs.

2. Retourner en passant par l'ouverture. Repasser le côté fleuri, en faisant des angles les plus plats possible.

3. Fermer l'étole à la main.

48 BANDEAU BRIGITTE

Un bandeau très sixties,
pour faire sa starlette.
À porter plissé ou plus tendu,
façon fichu.

MATÉRIEL

Coton vichy rose
Fil à coudre assorti

RÉALISATION

1. Couper dans le tissu un rectangle de 25 x 50 cm, à adapter à
votre tour de tête et à la largeur de
bandeau souhaitée.

2. Épingler un petit ourlet sur les
deux longueurs. Le marquer au
fer chaud. Piquer.

3. Surfiler les deux largeurs à la
machine.

4. Passer un fil de fronce sur les
largeurs du rectangle, de façon à
les ramener à 5 cm. Aplatir et
marquer ces plis au fer chaud.

5. Photocopier le patron à 100 %.
Découper et épingler le papier sur
le tissu. Ajouter 1 cm tout autour,
pour les ourlets, et découper.
Répéter l'opération pour obtenir
2 attaches.

6. Épingler un petit ourlet sur les
quatre côtés des attaches. Les marquer au fer chaud.

7. Piquer les ourlets des deux longueurs et de la petite largeur de
chacune des attaches.

8. Épingler les bords sans ourlet
piqué sur les largeurs (froncées)
du rectangle. Piquer à la machine.

PORTE-CLEFS DES ALPAGES

Finies les angoisses devant la porte de la maison : pour retrouver vos clefs, secouez votre sac et, comme une vache et sa cloche, le porte-clefs se signalera par son grelot qui vous indiquera le chemin...

MATÉRIEL

Coton chocolat (60 x 20 cm)
Lin vert olive (60 x 20 cm)
Satin bleu-gris (60 x 20 cm)
Ruban de satin rose chair en 0,5 cm de large (20 cm)
Ruban de velours bleu-gris en 1,5 cm de large (10 cm)
1 lien de cuir orange (1 m)
Perles de verre (marron, vert olive, blanches)
1 grelot
Carton léger
1 mousqueton de porte-clé (chez le cordonnier)
1 aiguille à tapisserie

RÉALISATION

1. Photocopier la forme à pompon à 100 %. La découper deux fois dans du carton léger (par exemple une boîte à chaussures).

2. Couper une dizaine de longues bandes de moins de 1 cm de large dans les différents tissus.

3. Commencer le pompon avec ces bandes et le ruban de satin. Découper au fur et à mesure de l'évolution du travail de nouvelles bandes de tissu.

4. Quand la forme à pompon est pleine, glisser la pointe des ciseaux entre les deux morceaux de carton. Glisser le lien de cuir et nouer.

5. Enfiler 2 perles sur le lien. Trouer les deux extrémités du ruban de velours, d'abord à l'aide d'une épingle, puis avec l'aiguille à tapisserie pour l'agrandir légèrement. Passer le lien de cuir dans les deux trous, de façon à former une boucle de ruban.

6. Enfiler d'autres perles et terminer par le grelot. Le bloquer en multipliant les nœuds.

7. Nouer le lien sur le mousqueton.

CEINTURE À RUBANS

Une ceinture vaguement
japonaise à poser sur
les hanches, qui redonnerait
la pêche à la plus fade
des petites robes.

MATÉRIEL

Tissu de coton (75 x 22 cm)
Ruban assorti en 1 cm de large (2 m)
Fil à coudre assorti

RÉALISATION

1. Surfiler le morceau de tissu à la machine.

2. Épingler les deux longueurs endroit sur endroit.

3. Coudre à 1 cm du bord, avec un point avant.

4. Retourner le tube ainsi formé et le repasser au fer chaud en centrant la couture.

5. Rentrer les bords des largeurs. Marquer les plis au fer chaud.

6. Couper le ruban en deux parties égales et épingler une moitié au centre de chaque petit côté, en laissant dépasser au moins 1 cm à l'intérieur. Piquer à la machine.

7. Faire un petit ourlet à la main aux extrémités des rubans.

BANDEAU PLAT À ÉLASTIQUE

Ce bandeau plat, fait en un rien de temps, peut se décliner dans toutes les largeurs, selon l'humeur du jour. On peut aussi ajouter une petite broche assortie sur le côté.

MATÉRIEL

Coton à fleurs japonisantes (52 x 18 cm + 5 x 10 cm)
Élastique en 1,5 cm de large (8 cm)
Fil à coudre assorti

RÉALISATION

1. Surfiler les pièces de tissu à la machine.

2. Pour chaque rectangle, épingler les deux longueurs, endroit sur endroit. Faire une couture à la machine avec un point avant, à 1 cm du bord coupé.

3. Retourner les tubes ainsi formés et les repasser au fer chaud en centrant la couture.

4. Sur le tube le plus large, rentrer les bords des largeurs. Marquer les plis au fer chaud.

5. Glisser l'élastique dans le petit tube et le fixer aux extrémités avec des épingles, en plissant le tissu.

6. Épingler l'élastique et son enveloppe au centre des ouvertures du bandeau. Piquer à la machine. Faire plusieurs coutures superposées pour fixer et consolider l'ensemble.

7. Rabattre les angles du bandeau sur l'envers et les fixer avec quelques petits points à la main.

BOURSE À SECRETS

Un sac froufroutant, vite fait bien fait, qui, si l'on varie dimensions et tissus, deviendra sac à lingerie ou sac à chaussures, voire sac à n'importe quoi.

MATÉRIEL

Coton à rayures noires et blanches
(22 x 45 cm)
Ruban de satin rose pâle de 5 cm de large (125 cm)
Fil à coudre noir
1 épingle de nourrice

RÉALISATION

1. Surfiler les quatre côtés du morceau de tissu à la machine.

2. Rabattre 12 cm sur la longueur, envers sur envers, épingler puis marquer le pli au fer.

3. Marquer au fer un rentré de I cm sur le bord du revers.

4. Sur la longueur, faire deux coutures parallèles espacées de 3,5cm.

5. Pour fermer le bas du sac, faire une couture à I cm des bords, endroit sur endroit, sans dépasser la première couture horizontale.

6. Retourner et repasser. Fermer le volant avec de petits points à la main.

7. Glisser le ruban à l'aide de l'épingle de nourrice, froncer et nouer.

58 PATRONS

Boucles d'oreilles p. 26

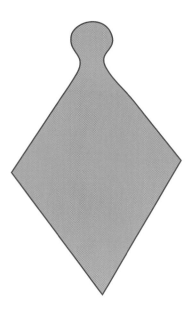

Broche p. 16

Pétale sac p. 42

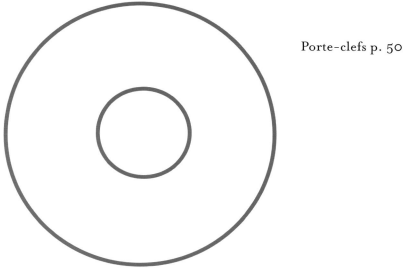

Porte-clefs p. 50

Sac du soir p. 38

Bandeau Brigitte p. 48

ADRESSES UTILES

Magasins de Tissus

Bouchara
Vous trouverez les adresses des magasins sur leur site :
www.bouchara.com

Mondial Tissus
Vous trouverez les adresses des magasins sur leur site :
www.mondialtissus.fr

Le Marché Saint-Pierre
2 rue Charles Nodier
75018 Paris

La Droguerie
9-11 rue du Jour
75001 Paris

La Droguerie
4 rue Gentil
69002 Lyon

REMERCIEMENTS

Remerciements de l'auteur

D'immenses mercis à Gilbert, toujours là, et à Nicole, jamais très loin.
Et bien sûr à François, Biche et Romain. Sans oublier Céline et Gracieuse
pour leur soutien sans faille, Isabelle pour son talent et sa bonne humeur à toutes
épreuves, Aude pour ses conseils de spécialiste et sa jolie broche.

Conception graphique : Marina Delranc
Mise en pages et illustrations : Jean-Philippe Gauthier
Réalisation Photogravure : Frédéric Bar
Fabrication: Céline Roche
Coordination éditoriale : Olivia Le Gourrierec, Sophie Charbonnel et Gracieuse Licari